JN071086

はじめての知的財産調査

創作したら
調査しよう

著 野田 佳邦
Yoshikuni Noda

三恵社

◎ はじめに…

　本書は、ものづくりやネーミングに関わる方に知的財産調査の最初の一歩を踏み出していただきたいと願って作成したものです。

　知的財産調査を怠るとそのプロジェクトは少なからずリスクを孕むことになります。逆に簡易な調査であっても、実施すれば大きなリスクの回避に繋がることも多いのです。

　メーカーなどの企業だけでなく、学校や研究機関、行政機関、ワークショップなど様々な場で「ものづくり」や「ネーミング」が行われています。しかし、創作活動に知的財産調査が必要であるという認識をお持ちの方はまだそれほど多くはないでしょう。知的財産調査の方法も十分に普及しているとは思えません。或いは、必要性は分かっていても難しそうに感じて調査を敬遠される方も多いのではないでしょうか。

　本書では多くの方に「とにかく調査をやってみよう」と感じてもらうことを最優先し、難しい専門用語などはなるべく使用しないようにしています。うさぎの「ちざいさん」と一緒に知的財産調査にチャレンジしてみてくださいね。

　注意事項として、本書内では架空の設定を用いており、検索画面等に登場する文献番号や図面等も架空のものです。また、新規性の判断等もその内容を保証するものではありません。実際にビジネスとして製品化をするためには、本書の内容以上に網羅的な調査をする必要があります。あくまで専門家にご相談される前の事前調査の参考としてご活用ください。

＜目　次＞

「ちてきざい」さん
「ちざいさん」って呼んでね♪

ライセンスさん　　ロイヤリティーさん

＜「ちざいさん」のともだち ＞
※ライセンスさんはあまり登場しません。
　どこにいるか探してみてね！

◎ 知的財産とは…

知的財産って何だろう・・・？
例えば「他の会社が開発した製品のデザインを後からパクリ放題」という世界を考えてみよう。パクった方は開発コストがかからないから、同じデザインの製品を安く販売することができるよね。そうすると、オリジナルの製品は売れなくなってしまうし、誰も「頑張っていいデザインを生み出そう」とは思わなくなってしまうよね…。結局、良いデザインが生まれにくい世の中になってしまうんだ。
知的財産は、アイディア・デザイン・ブランドなどを、一定の期間マネされない権利として保護することで、良いものを生まれやすくして産業を発達させようという制度なんだよ。具体的には、以下のような権利があるんだ！

知的財産権

| 意匠権 | 特許権 | 実用新案権 | 商標権 | 著作権 |

調査ができるよ！

※ 写真の物品は【P-10】から出てくる「爪楊枝を入れることができるうさぎ型のお箸置き」

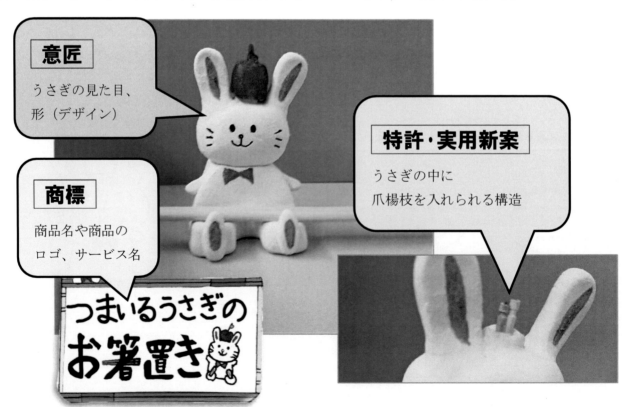

意匠
うさぎの見た目、形（デザイン）

商標
商品名や商品のロゴ、サービス名

特許・実用新案
うさぎの中に爪楊枝を入れられる構造

つまいるうさぎの
お箸置き

◆ 特許・実用新案ってなに？

新しい「発明」をしたから
特許出願をしようと思うんだ！
特許権は「発明」を保護するための
権利なんだよ〜！

へ〜
そうなんだ…

というか
「発明」って何なの？

よく
分からん

「発明」はざっくり言うと
「技術的なアイディア」のことだよ。

例をあげると・・・
「スマホのバッテリーを長持ちさせるための技術」や、
「ゲーム機の画像制御装置」なんかも
特許権で保護される対象になるんだよ。

なるほど

ゲーム機の画像制御

摩擦で文字が消えるインク

長持ちバッテリー

特許庁に特許出願をして、新規性などの
審査がされて、世の中に無かった新しい
「発明」のみが特許として保護されるんだ。

保護されると他社がその「発明」を
使うことができなくなるんだよ！

特許庁での審査が通って
保護された「発明」は
永遠に保護されるの？

分かってきた
気がする！

最長で出願の日から
20年間保護されるよ！

永遠
じゃなくて
ごめん！

5

実用新案権と特許権は
何が違うの？

実用新案権は「物品の形、構造、または組み合わせにかかる考案」
を保護するための権利だよ。

いい
質問だなあ

もっと
くわしく
知りたい！

例をあげると・・・例えば、
日常生活で使う物（文房具や調理器具
など）」も実用新案権で保護されるよ。
だいたい 5000 件くらいが、
毎年登録されているよ！

「技術的なアイディア」を守るという点では
特許と似ている部分が多いかな。

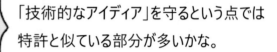

例

落としにくい
クリップの構造

ボタンの位置・構造

特許と違って実用新案権は「無審査主義」を
採用しているから、比較的短期間かつ安価で
権利登録ができ、他の会社を牽制することが
可能だよ！

あってる…？

もしかして権利の
保護期間は、
特許権より
短い・・・？？

実用新案権、最強だね！！

すごい！

うーん・・・それが、新規性などの審査がされずに
登録されるから、実際に権利行使する場合に
は色々条件があるんだよね・・・。

そうだよ！保護期間は
最長で出願日から
10 年だよ！
特許権より 10 年
短いんだ〜。

◆ 意匠ってなに？

デザインを守る権利についても
教えてほしいな〜！
ちざいさん！！

心の友よ

良いよ！

物品の新しい「デザイン（見た目）」を
保護する権利に「意匠権」という権利が
あるよ！

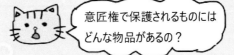

名前は知ってるよね！

意匠権で保護されるものには
どんな物品があるの？

主に、工業上利用できる物品のデザインが保護の対
象で、工業製品（ネジやボルト）や文房具など、
大量生産できるものが幅広く保護の対象になるよ。

文房具の
デザイン

工業製品の
デザイン

新しく生み出したデザインについて意匠権が欲しい場合
は、特許庁に物品のデザインが分かるように図面などを描
いて提出するんだよ。特許庁で既にあるデザインと類似し
ていないかなどの審査が行われて、無事に登録された場
合、保護期間は出願日から最長で25年！！

えっと…
著作権との違いは？

意匠（例）

実用品

鞄のデザイン

ペットボトルの
デザイン

携帯カバーの
デザイン

椅子のデザイン
（意匠登録 1620864）

著作物（例）

芸術品

絵画

壺

1点もの！
150万円

彫刻

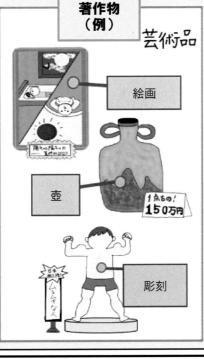

デザインというと「著作権」のイメージ
を持つかもしれないけど…

著作権法で保護されるような
絵画などの美術品や造形物は、
大量生産できない芸術品だから、
意匠権では保護されないんだ。

なるほど…
意匠権と著作権って
同じようなイメージがあったけど、
しっかり違いがあるんだね。

うん、そうだよ！
ちゃんと覚えて、間違えないように
注意してね！

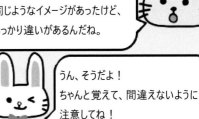

◆ 商標ってなに？

商標ってロゴマークのことでしょ？

これは分かる！

そうそう！
商標は「商品やサービスに使用する、会社・商品・サービスの名前やロゴマーク等を守る権利」だよ。ロゴマークだけでなく、文字（名称）も含まれるよ！

よく分かったね

買い物をする時は、たくさんの類似している商品やサービスの中から名前やマークを頼りに選んでいるよね。

うん、新商品や新しいサービスの時なんかは特に！！

商標権はそういった名前やマークを保護する権利なんだ。

「このジャンルの商品・サービスに、こういう名前（又はマーク）を使いたいです」という形で特許庁に出願して、登録されれば、全く同じ商標だけでなく類似する範囲にも権利の効力が及ぶよ！

保護期間は10年なんだけど、何度でも更新して半永久的に権利維持が可能なんだ。

すごいよね！

最近では「音」や「ホログラム」なども保護の対象になっているらしいよ！

マジか…

県のキャラクター
（商標登録 4958885）

カボたん

苺の商品ロゴ、商品名
（商標登録 6117957）

身近な商標探してみてね！

県の観光 PR キャッチフレーズ
（商標登録 5628132）

おんせん県おおいた

OPAM
オーパム

県立美術館の名前
（商標登録 5645837）

◎ 知的財産調査とは…

以上のように、ものづくりには色々な権利が関わっています。
では、なぜものづくりに「調査」が必要なのでしょうか？

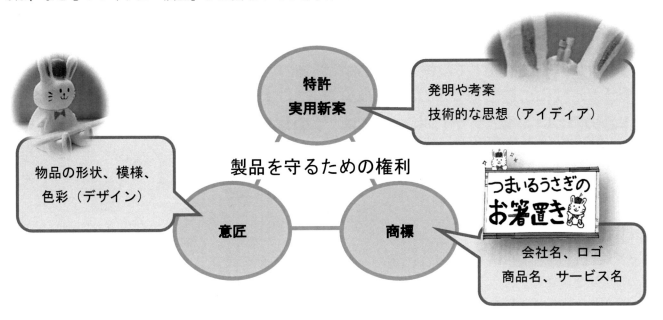

特許
実用新案

発明や考案
技術的な思想（アイディア）

物品の形状、模様、
色彩（デザイン）

製品を守るための権利

意匠

商標

つまいるうさぎの
お箸置き

会社名、ロゴ
商品名、サービス名

創作したものを製品化する場合、一般的には、市場で独占的に販売できるという前提が必要になります。
そのためには、上に挙げた権利の中で適切なものを取得することが重要となってきます。
「自分は権利なんていらない」という場合であってもうっかり誰かの権利を侵害していないかを調査する
必要があります。実は上に挙げた権利は全て「J-PlatPat」というサイトに公開されていて、誰でも閲覧
することができる代わりに、「知らなかった」が通用しない超強力な権利なのです。
調査を怠ると、警告を受けたり提訴されたりして事業継続できなくなるリスクがあります。
製品化を目指して創作をした場合は、誰かのデザインやアイディアと似ていないか必ず調査しましょう。

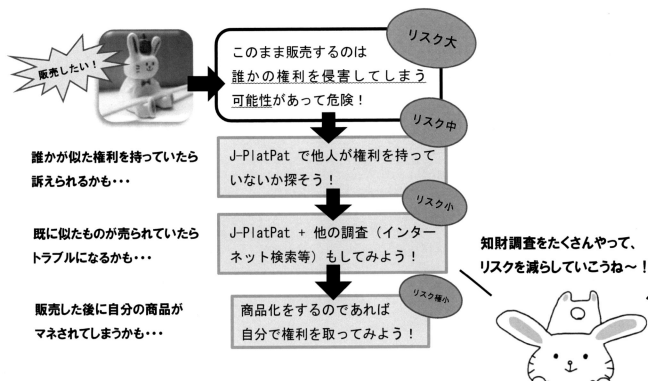

販売したい！

このまま販売するのは
誰かの権利を侵害してしまう
可能性があって危険！

リスク大

リスク中

誰かが似た権利を持っていたら
訴えられるかも・・・

J-PlatPat で他人が権利を持って
いないか探そう！

リスク小

既に似たものが売られていたら
トラブルになるかも・・・

J-PlatPat ＋ 他の調査（インター
ネット検索等）もしてみよう！

知財調査をたくさんやって、
リスクを減らしていこうね〜！

販売した後に自分の商品が
マネされてしまうかも・・・

リスク極小

商品化をするのであれば
自分で権利を取ってみよう！

◎知的財産調査の方法は大きく分けて2種類あります。
　① 特許情報プラットフォーム（J-PlatPat）検索
　② J-PlatPat 以外での検索

　2つの調査方法を、例をあげながら順に説明していきます。

> あなたは爪楊枝を立てて収納することができる、「うさぎ型箸置き」を創作しました。
> 今はまだ試作の段階ですが、いずれは製品化して販売したいと考えています。
> 作品の詳しい特徴とデザインについては、下の写真を見てください。
> この箸置きについて様々な観点から調査していきましょう。

一緒に調査
してみよう！

< 作品の特徴 >
① うさぎ型
② 足の部分が箸置き
③ 内部に爪楊枝を入れられる
④ 爪楊枝を入れた部分に林檎型のフタができる

< うさぎ型箸置き イメージ図 >

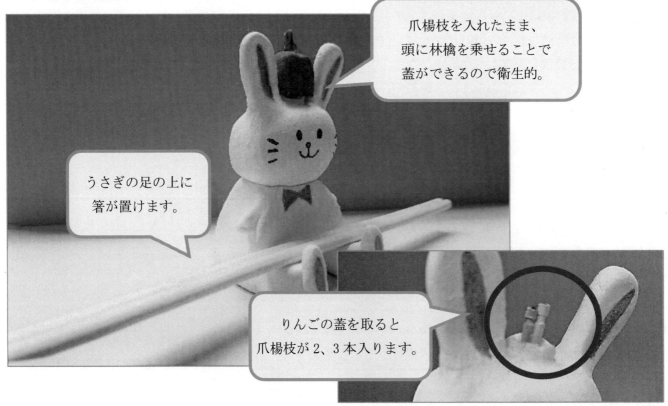

爪楊枝を入れたまま、
頭に林檎を乗せることで
蓋ができるので衛生的。

うさぎの足の上に
箸が置けます。

りんごの蓋を取ると
爪楊枝が2、3本入ります。

◎ 特許情報プラットフォーム（J-PlatPat）検索

[**特許情報プラットフォーム（J-PlatPat）**]（以下：J-PlatPat）とは独立行政法人工業所有権情報・研修館（INPIT）がインターネット上で提供する産業財産権情報の検索サービスのことです。特許・実用新案、意匠、商標などに関係する公報、外国の公報を誰でも見ることができます。「ぷらっと」寄って、情報を「ぱっと」見つけられるサービスと言われています。（※無料のサービスです）

何か物品を作成し、それを商品として販売したい時や、意匠や特許・実用新案として出願する際などに、あらかじめ J-PlatPat を使って他人の権利を調査することができます。

① [**J-PlatPat**]（ https://www.j-platpat.inpit.go.jp/ ）にアクセスします。

やってみよう！

Step 2

あなたはこの箸置きの可愛らしいデザインにとても自信を持っています。それにとても時間を
かけて作ったので、できれば意匠権も欲しいと考えています。でも、自分と似たデザインの
箸置きについて、すでに他の人が意匠権を持っていた場合、権利の侵害となってしまいます。
まずは、同じような作品がないか ［ J-PlatPat ］ で意匠検索をしてみましょう。

＜ Point！ ＞

とても珍しい形・デザインの作品を作ったと思っても、すでに誰かが似たような
形・デザインの「意匠権」を持っている可能性があります。
権利の侵害をしないためにも、必ず意匠検索しましょう！

意匠検索では、**日本意匠分類（ Ｄターム ）** という分類を用いて検索します。
まずは、「箸置き」に関する適切な **日本意匠分類（ Ｄターム ）** を探すことから始めます。

① ［ 意匠 ］タブ → ［ 意匠分類照会 ］ をクリックします。

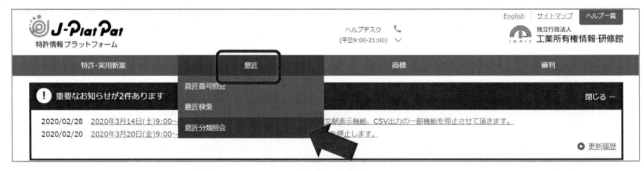

② 「🔍 意匠分類照会 」の画面を開いたら、［ キーワード検索 ］タブ をクリックしてください。

③ 物品にはそれぞれ **日本意匠分類（Dターム）** が割り振られています。分類を調べたい物品名
（ この場合は「箸置き」）を入力して [🔍検索] **ボタン** を押してください。
※「キーワード」欄に「箸置き　はし置き　箸おき　はしおき　ハシオキ」と、複数の検索用語を
スペース区切りで入力することで**「OR検索」**をすることができます。
（【 P-52 】～にも検索のコツを載せています。）

④ 検索結果一覧が表示されたら、ヒットした **意匠分類（ C5-533 ）** をクリックしてください。
※今回は検索結果に１件の分類だけしか表示されていませんが、物品によっては似たような分類が
何件も出てくる可能性があります。よく確認しましょう。

13

⑤ 意匠分類をクリックすると、［ **分類照会**］**タブ** の画面に切り替わります。先ほど選んだ分類が黄色く塗りつぶされているのでクリックすると、画面上部にある［ **日本意匠分類 ／ D ターム**］欄に自動で入力されます。

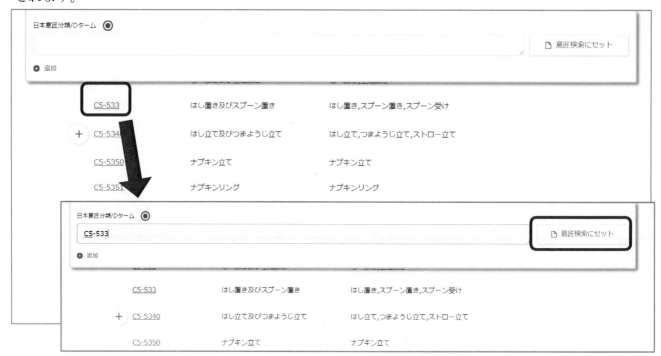

⑥ ［ 📝**意匠検索にセット**］**ボタン** を押すと、［ **日本意匠分類 ／ D ターム**］欄に入力したすべての分類が［ **意匠検索**］画面の［ **検索キーワード**］に自動的にセットされます。

⑦ キーワード内に分類が入力されていることを確認したら、[🔍 検索] ボタン をクリックしてください。

⑧ 「 箸置き （ C5-533 ）」の検索結果一覧が表示されます。似ている物品を探してみましょう。

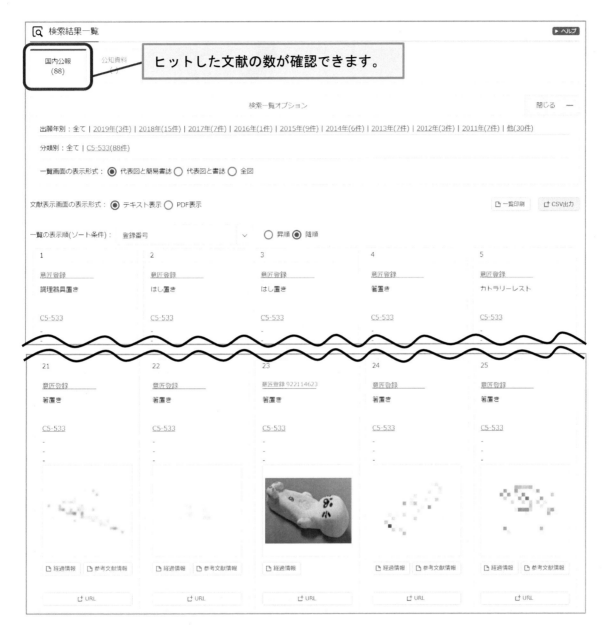

⑨ 検索結果を見ていると、爪楊枝が入るかは分かりませんが、動物の形をした箸置き（**意匠登録 922114623 号**）を見つけました。念のために意匠登録番号をクリックして文献を表示し、確認してみましょう。

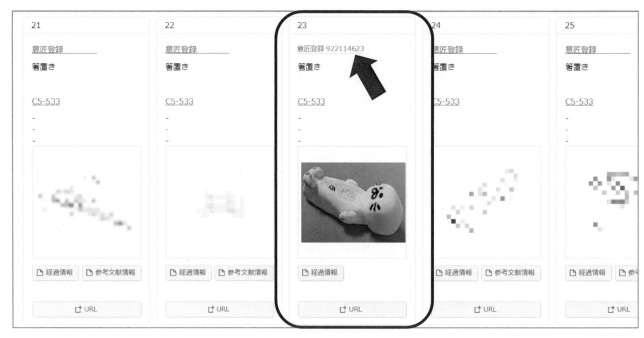

⑩ 意匠登録番号をクリックすると、文献が表示されます。すべての図面を確認しましょう。
また、[**経過情報**] **ボタン** を押してもっと詳しい情報を見てみましょう。

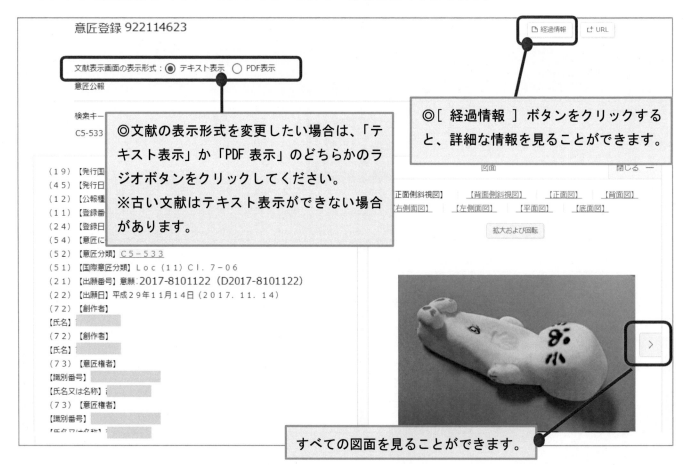

◎文献の表示形式を変更したい場合は、「テキスト表示」か「PDF 表示」のどちらかのラジオボタンをクリックしてください。
※古い文献はテキスト表示ができない場合があります。

◎[経過情報] ボタンをクリックすると、詳細な情報を見ることができます。

すべての図面を見ることができます。

⑪ ［ 経過情報 ］ボタン をクリックすると、経過情報照会のウィンドウが開きます。

※ 経過情報照会では、「経過記録」、「出願情報」、「登録情報」を見ることができます。

> ◆ 経過記録 …… 審査までの記録（審査経過、審査書類など）を確認できます。
> ◆ 出願情報 …… 出願から登録されるまでの情報を見ることができます。
> ◆ 登録情報 …… 登録されてからの情報を見ることができます。

⑫ 意匠登録 922114623 号 の詳細を確認したところ、動物の形をしているという点が共通しているだけであって、うさぎの形をしていないので、外観は自分の作品と大きく異なっていました。
意匠権は見た目の形状を保護する権利なので、自分が創作した箸置きが 意匠登録 922114623 号 の侵害になる可能性は極めて低いと言えます。

⑬ 他にも 意匠分類（ C5-533 ）「箸置き」として意匠登録されている他の物品をすべて確認しましたが、似たような形やデザインの物品は登録されていませんでした。

意匠検索の結果…

まったく同じものや似たようなデザインの箸置きは意匠登録されていませんでした！

この箸置きの「見た目」で販売しても、他人の意匠権の侵害にはならなさそうです。
また、必要であればこのデザインを意匠登録できるかもしれません。

でも、「箸置きの中に爪楊枝を入れられるスペースを作る」というアイディアの権利を
既に誰かが持っていたら……？

→ Next　特許・実用新案検索【P-20】～

用語解説

◆ 意匠公報

設定出願登録日の1か月後に発行される公報のこと。
登録されている公報しか公開されず、拒絶査定されている公報や、審査途中の公報は見ることができません。

◆ 日本意匠分類

意匠に関する日本独自の分類のこと。
物品の用途に主眼をおき、必要に応じて機能等の概念を用いて分類を構成している。
出願日（もしくは優先日）が平成17年（2005年）1月1日以降のすべての出願文献について1件につき
意匠分類が付与される。

◆ Dターム

日本意匠分類を形状や模様などの観点からさらに細かく分けて分類を構成している。
文献の内容によって、Dタームが付与されていないものがある。
1つの権利につき、複数のDタームが付与されているものもある。

いろいろあるなあ

– – Check! ·–––––––––––––––––––––––––––––––––

意匠分類照会で［ **日本意匠分類 / Dターム** ］を検索すると、1つの検索キーワードに対して、たくさんの検索結果が表示される場合があります。

① 例えば、「ハンドル」とキーワード検索するだけでも100件近くの日本意匠分類がヒットします。ヒットした分類の中から、調べたい物品に最も近いものを選びます。（例えば **意匠分類（M3-213）**「建具用取手及び引手」をクリックしてみましょう。）

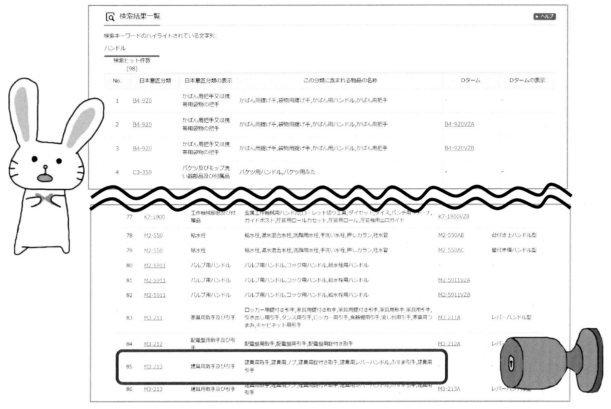

② クリックすると、下図のように［ **Dターム** ］が表示されます。（ ［ **Dターム** ］は物の模様や形などの観点から、**日本意匠分類** をさらに細かく分類したものです。）

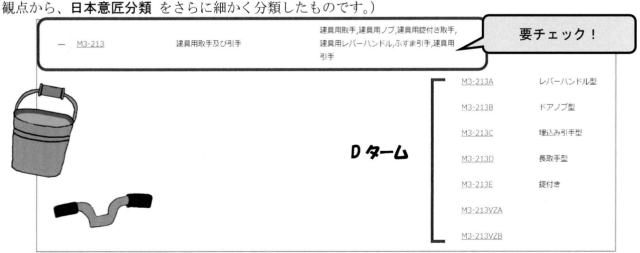

③ ［ **Dターム** ］を意匠検索にセットする前に、物品の種類をもう一度確認しましょう。名称は同じでも、よく見てみると、異なる物品だった！ということがあるので注意しましょう。
（ **特許・実用新案分類コード（ FI / Fターム ）** を検索する時も同様に注意が必要です。）

◆ 特許・実用新案検索

Step 3

意匠検索をしたところ、似たようなデザインの箸置きは登録されていませんでした。
でも、「箸置きの中に爪楊枝を入れられるスペースを作る」というアイディアの権利
を既に誰かが持っていたら、権利の侵害となってしまいます。
次は、特許・実用新案検索をやってみましょう！

意匠検索だけじゃ
ダメなの？

＜ Point！ ＞

似たような形やデザインのものが意匠登録されていなかったとしても、アイディアや構造は、
「特許・実用新案」 として、すでに登録されている可能性があります。
意匠検索だけでなく、特許・実用新案検索も必ず行うようにしましょう！
※特許と実用新案はまとめて検索することができます。

特許・実用新案検索では、**特許・実用新案分類（ FI / F ターム ）** という分類を用いて検索します。
まずは、「箸置き」に関する適切な **特許・実用新案分類（ FI/ F ターム ）** を探すことから始めます。
※本書では、F タームは使用せず、FI を使用します。

① ［ **特許・実用新案** ］ タブ → ［ **特許・実用新案分類照会（PMGS）** ］ を選択します。

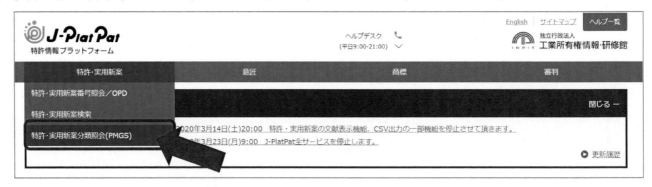

② 「 🔍 特許・実用新案分類照会 」 の画面が開いたら、 ［ **キーワード** ］ タブ をクリックします。

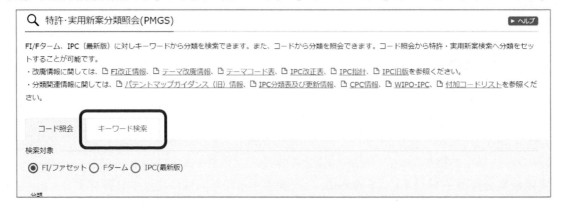

③ 意匠と同様に特許・実用新案にも出願ごとにそれぞれ **特許・実用新案分類 (FI / Fターム)** が割り
振られています。分類を調べたい出願名を入力して [🔍 検索] **ボタン** をクリックしてください。

④ 検索結果一覧に **特許・実用新案分類 (FI / Fターム)** が表示されるので、適切なものを選び、
クリックしてください。

⑤ FIをクリックすると、［ **分類照会** ］ **タブ** の画面に切り替わります。

先ほど選んだFIが黄色く塗りつぶされているので、クリックしてください。

そうすると画面上部にある ［ FI ］欄に先ほどクリックした分類が自動的に入力されます。

きちんと入力されているか確認が出来次第、［ 📝**特実検索にセット** ］ **ボタン** を押してください。

⑥ ［ 📝**特実検索にセット** ］ ボタンを押すと、先ほど ［ FI ］ 欄に入力されたすべてのFIが
［ **特許・実用新案検索** ］ 画面の ［ **検索項目** ］の ［ **キーワード** ］ 欄に自動的にセットされます。
この状態で検索すれば、箸置きに関する発明の文献一覧がたくさん表示されます。

⑦ 少し対象を絞り込んでみましょう。2つ目の検索項目を ［ **全文** ］ に設定し、［ **キーワード** ］ 欄内に
調べたい物品の見た目や素材の特徴などを入力して、［ 🔍 検索 ］ **ボタン** をクリックします。

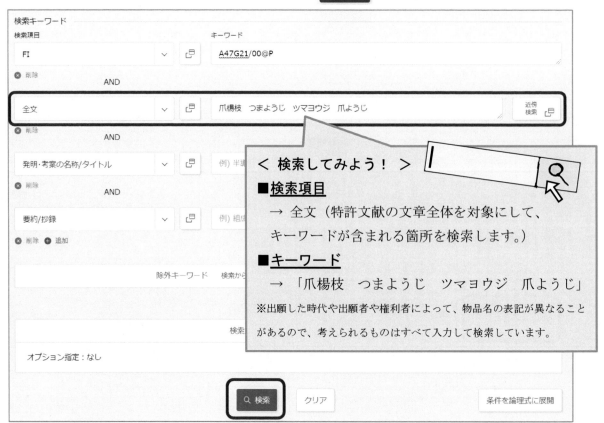

< 検索してみよう！ >
■検索項目
→ 全文（特許文献の文章全体を対象にして、キーワードが含まれる箇所を検索します。）
■キーワード
→ 「爪楊枝　つまようじ　ツマヨウジ　爪ようじ」
※出願した時代や出願者や権利者によって、物品名の表記が異なることがあるので、考えられるものはすべて入力して検索しています。

⑧ [🔍 検索] ボタン を押すと、「箸置きの発明」で「爪楊枝」のキーワードが含まれる文献の検索結果が表示されます。文献番号をクリックすると、文献を閲覧することができます。
似ているアイディアがないか探してみましょう！

ヒットした件数が多すぎると検索結果が表示できないことがあります。その際は、さらにキーワードを増やして検索しなおしてください。

⑨ 文献を開くと以下のような画面が出てきます。まずは図面を見てみましょう。

⑩ 何件か見ていると、「 実全昭 60-987654 」が自分のアイディアに似ていることに気が付きました。

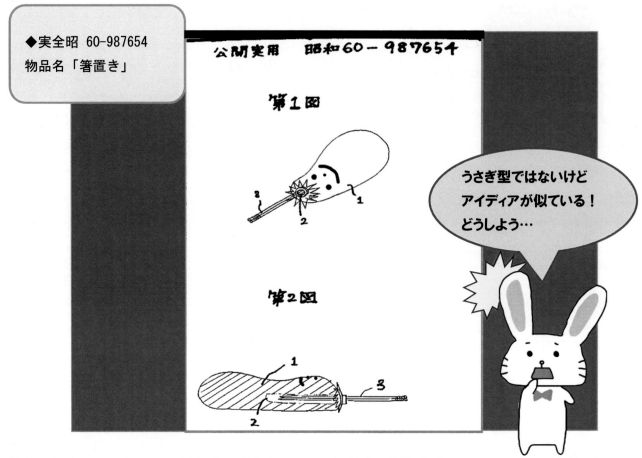

⑪ 見た目だけではアイディアが同じとは限らないので、[請求の範囲] をクリックして、詳細なデータを確認しましょう。

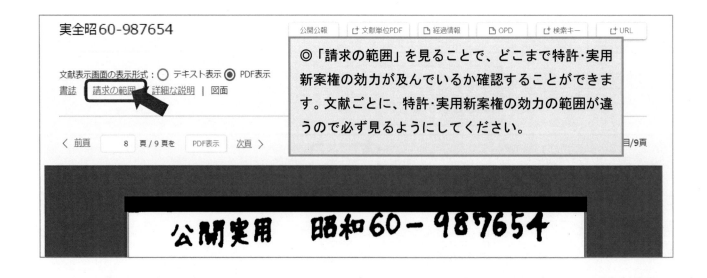

⑫ 請求の範囲を見てみると、「箸置きの表面から内部にかけ、爪楊枝挿入スペースを形成したことを特徴とする箸置き」とあり、自分の作った箸置きの特徴が、実用新案の権利が及ぶ範囲内であることに気が付きました。

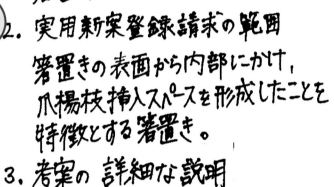

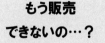

Check！まだまだわかりません！

似たアイディアを見つけた時は、「経過情報」を確認してみましょう！
文献が公開されているだけで査定されておらず、権利が発生していない、
何らかの理由で権利が抹消されている、などの可能性があります。
また、経過情報の審査記録内にある「補正書」も確認しましょう。
権利の範囲を補正して特許・実用新案登録されていることも多々あります。
経過情報に限らず、他の書類も必ず見るようにしましょう。
「経過情報」については【P-17】を確認してください。

⑬ 文献表示画面の上部にある、[**経過情報**] をクリックして、[**経過情報照会**] を開きます。

⑭ [**経過情報照会**] をよく見ると、上部に「 **査定種別（査定無し）最終処分（未審査請求によるみなし取下）**」とあり、そもそも権利が発生していないことが分かりました。

Point！

[経過情報照会] の上部に書かれている権利の状態には、様々なパターンがあります。

◆ **本権利は抹消されていない**

【意味：権利があります！】

> **実用新案出願**
>
> 登録　　　　本権利は抹消されていない

◆ **査定種別（査定無し）**

【意味：審査結果が出ていません】

> **特許出願**
>
> 査定種別(査定無し)

◆ **存続期間満了による抹消**

【意味：権利期間が満了したので抹消されました】

> **実用新案出願**
>
> 登録　　　　　存続期間満了による抹消

◆ **査定種別（拒絶査定）**

【意味：審査の結果、登録されませんでした】

> **特許出願**
>
> (9750)査定種別(拒絶査定)

◆ **年金未納による抹消**

【意味：権利の維持費用を払うのをやめたので抹消されました】

> **実用新案出願**
>
> 登録　　　　年金不納による抹消

特許・実用新案検索の結果…

自分の作った作品と同じアイディアの箸置きは登録されていませんでした！
この箸置きを販売しても、他人の特許権や実用新案権の侵害にはならなさそうです。

しかし、前に似たようなアイディアが登録されていたので、このままだと権利化は難しそう…。

でも、アイディアの改良をすれば、権利化できるかもしれない…。
とりあえず販売はできそうなので、箸置きの商品名と商品ロゴを考えてみようかなあ〜

→ **Next　商標検索【P-31】〜**

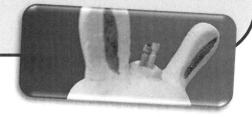

– – Check! –

◆ 食器の「フォークの柄」に関する特許・実用新案分類（ FI ）を探してみよう！

① 「フォーク」とキーワードを入力して、**特許・実用新案分類（ FI ）**を検索します。

② 「フォーク（A01D9/00）」と書かれた FI を見つけました。4番目をクリックしてみましょう。

No.	FI/ファセット	説明	参照等	テーマコード
		フォーク		
		検索ヒット件数 (143)		
1	A01B15/08@A	フォーク型	ハンドブック／コンコーダンス	2B032
2	A01C3/00	堆厩肥の取り扱い；堆厩肥の散布（厩肥用フォークA01D9／00；廃棄物またはじんかいからの有機質肥料C05F）	ハンドブック／コンコーダンス	2B052
3	A01D	収穫；草刈り		-
4	A01D9/00	フォーク	ハンドブック／コンコーダンス	2B071
5	A01D11/04	・根菜作物の処理具，例. ショベル，フォーク状のショベル	ハンドブック／コンコーダンス	2B071

③ 画面が切り替わり、「**フォーク（A01D9/00）**」に黄色いラインが引かれます。

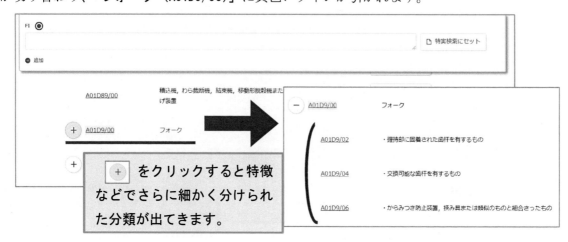

④ 細かく分けた FI の説明文を見てみると、「交換可能な歯杆」「からみつき防止装置」などが書かれ、
食器のフォークではない気がしてきました。この「フォーク」（A01D9/00）とは何の「フォーク」なのか、
階層の上位（A01D）を確認してみましょう。どうやら収穫や草刈りに用いる「フォーク」のようです。

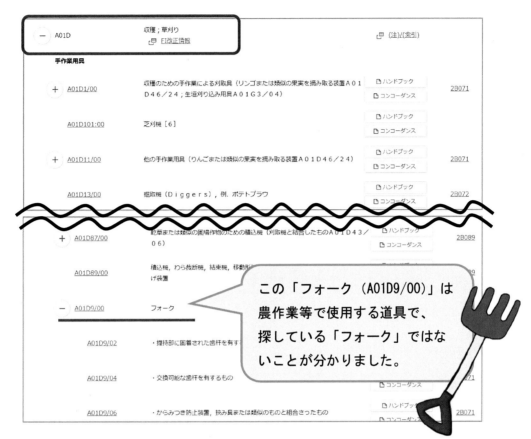

⑤ 結局、食器のフォークの分類は、最初の検索画面の「9」「10」にありました。

このように、**特許・実用新案分類（ FI ）**には、
「同じキーワードでもジャンルが全く異なるもの」が多くあります。
必ず**特許・実用新案分類（ FI ）**の上位を確認するようにしましょう！

用 語 解 説

◆ 特許公報

出願から1年6か月後に「公開特許公報」が発行され、その後、審査されて登録になった案件のみ
「特許公報」が発行される。

意匠公報とは異なり、審査途中の公報や登録されていない公報も公開されており、見ることができる。

◆ IPC

International Patent Classification（国際特許分類）の略。

世界共通で使用可能な特許分類のこと。

◆ FI

File Index の略称。IPC（国際特許分類）を日本独自に細分化した技術分類記号のこと。

日本には日本特有の技術がたくさんあり、IPC を使用すると特許文献が一つの分類に集中してしまうこと
があるため、IPC の国内運用版として FI を使用している。（**重要！**）

◆ F ターム

特許庁の審査官が検索をするために開発された分類のこと。

FI ほど細かく分類されていないので、付与されていないものもある。

慣れたら
簡単だよ

特許の書類について

◆ 書誌

出願日や FI などの詳しい情報や、発明者や出願人など、
特許に関わった人を見ることができる。

◆ 要約

出願する特許がどういう発明・アイディアなのか簡単に書かれた
書類のこと。

◆ 請求の範囲

出願人の持ちたい権利、保護したい権利について書かれており、
権利の範囲がどこまで及ぶのかを確認することができる。

◆ 詳細な説明

特許のアイディアについて、具体的に書かれた説明書のこと。

🔍 文献表示

特許

文献表示画面の表示形式： ◉ テキスト表示 ○ PDF表示
一次文献

検索キーワードのハイライトされている文字列：

書誌
要約
請求の範囲
詳細な説明
図面

◆ 商標検索

Step 4

意匠検索と特許・実用新案検索を行ったので、「これで販売ができる！」と思い、
わくわくして箸置きの商品名とロゴマークを考えてみました。
しかし、商品名やロゴもトラブルのもと。他人に商標登録されている場合があります。
似ているものがないか商標検索して調査してみましょう！

Check !

商品名や商品のロゴは「**商標権**」で守られている場合があります。
商品自体のデザインやアイディアは誰かの権利を侵害していなかったとしても、
商品のロゴや商品名で権利を侵害してしまう可能性があるので、商標検索も
必ず行うようにしましょう。

ロゴと商品名も調査しないといけないなんて…

```
＜ 商  品  名 ＞ 「つまいるうさぎのお箸置き」
＜ ロゴイメージ ＞ 下図参照
```

「爪楊枝」×「スマイル」
で「つまいる」だよ。

シンプルな感じで
おしゃれ！

字の中に「お箸」が入っ
ているのがこだわり。

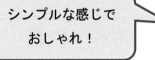
商標検索のポイント

① 称呼（読み方）
② 外観（見た目）

 それぞれ、似ているものがないか検索する

上記の点をふまえて、次のページから一緒に商標検索をやっていきましょう！

◆ まずは商品名「つまいるうさぎのお箸置き」の検索

① ［ 商 標 ］タブ → ［ 商標検索 ］ を選択します。

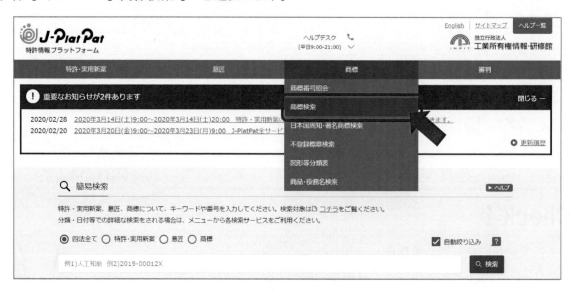

② 「 🔍 商標検索 」の画面が開いたら、［ 称呼（単純文字列検索） ］ 欄のキーワード内に
「ツマイルウサギノオハシオキ」と商品名の読み方をカタカナで入力します。

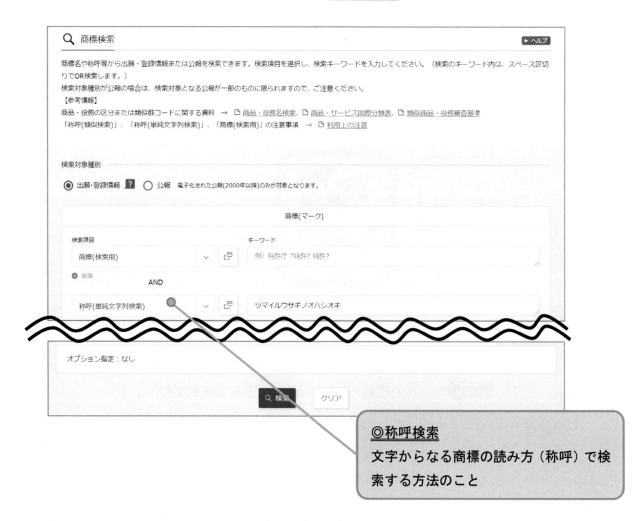

◎称呼検索
文字からなる商標の読み方（称呼）で検索する方法のこと

③ ［ 称呼（単純文字列検索）］のままだと、完全に同じ言葉しか検索結果にヒットしないので、
検索項目を ［ 称呼（類似検索）］に変更しましょう。類似検索では似ている言葉もヒットします。
［ ▢ˇ ］ボタン をクリックすると検索項目の変更ができます。変更したら ［ 🔍検索 ］ボタン を
クリックしてください。

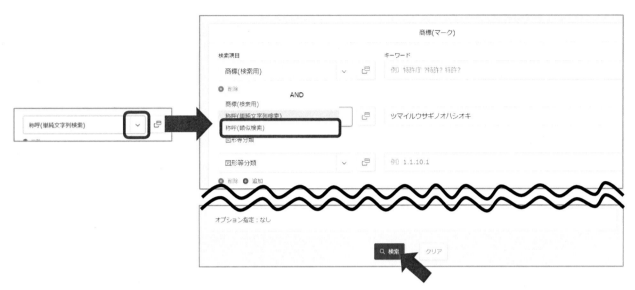

④ 検索したところ、検索ヒット件数が「0件」でした。
「ツマイルウサギノオハシオキ」に似た名前の商標は登録されていないということになります。

検索結果一覧(出願・登録情報)　　　　　　　　　　　　　　　　　　　　▶ヘルプ

検索ヒット件数
(0)
検索結果は0件でした。検索条件を変更して、再度検索を行ってください。

⑤ **「ツマイルウサギノオハシオキ」**に似た名前の商標は取られていませんでしたが、**「オハシオキ」**は商品
そのものを表す言葉なので識別力がありません。商品名の中でも特徴的な一部分**「ツマイルウサギ」**のみ
で、もう一度称呼検索（類似検索）してみましょう！

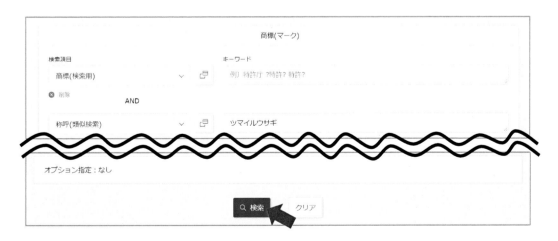

⑥ **「ツマイルウサギ」**の検索ヒット件数も「0件」でした！ですから**「ツマイルウサギノオハシオキ」**、
「ツマイルウサギ」どちらも似た名前の商標は登録されていないということになります。

◆ 次に商品のロゴマークについて検索

考えたロゴマークはパッと見ただけで「ハシ」と読める文字なので、商品名の時と同様にまずは **「称呼」**
で検索します。しかし、文字の中には箸のイラストも入っています。ロゴの中にイラストなどの図形が
ある場合には、**「図形等分類」** を使うと便利です。**「図形等分類」** による商標検索をやってみましょう！

> < 検索の手順 >
> 1　まず「箸」の図形等分類を探す
> 2　次に称呼と図形等分類を使って商標検索を行う

① [商標] タブ → [図形等分類表] を選択します。

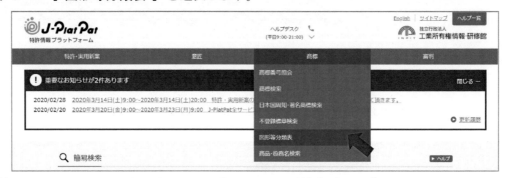

② 「🔍 図形等分類表 」の画面が表示されたら、[キーワード検索] タブ を選択、
　キーワード欄に「箸　はし　ハシ」と入力し、[　🔍 検索　] ボタン をクリックしてください。

③ 検索結果一覧が表示されたら、「箸」の図形等分類（A11.1.6）の（11.1.6）の部分だけ、コピーします。
　（またはメモに残す、覚えておく。）

④ ［商 標］タブ → ［商標検索］ を選択します。

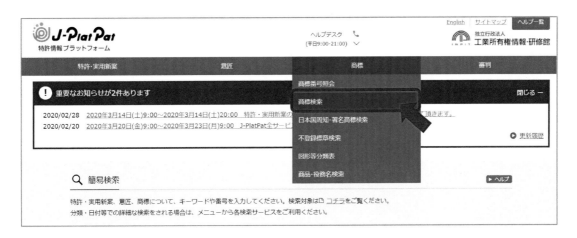

⑤ 「🔍 商標検索 」の画面が開いたら、［ 称呼（単純文字列検索） ］ 欄のキーワード内に「ハシ」と
入力し、［ 図形等分類 ］欄のキーワード内に先ほどコピーした「箸」の図形等分類（11.1.6）を
入力します。どちらも入力ができたら ［ 🔍 検索 ］ボタン をクリックしてください。

🔍 商標検索　　　　　　　　　　　　　　　　　　　　　　　　　　　　　　▶ ヘルプ

商標名や称呼等から出願・登録情報または公報を検索できます。検索項目を選択し、検索キーワードを入力してください。（検索のキーワード内は、スペース区切
りでOR検索します。）
検索対象種別が公報の場合は、検索対象となる公報が一部のものに限られますので、ご注意ください。
【参考情報】
商品・役務の区分または類似群コードに関する資料　→　🔗 商品・役務名検索、🔗 商品・サービス国際分類表、🔗 類似商品・役務審査基準
「称呼(類似検索)」、「称呼(単純文字列検索)」、「商標(検索用)」の注意事項　→　🔗 利用上の注意

検索対象種別

◉ 出願・登録情報 ❓　○ 公報　電子化された公報(2000年以降)のみが対象となります。

商標(マーク)

検索項目　　　　　　　　　　　　　　　　　キーワード

商標(検索用)　　　　　〜　🔲　　例) 特許庁 ?特許? 特許?

❎ 削除
　　　　　　　　AND

称呼(単純文字列検索)　〜　🔲　　ハシ

❎ 削除
　　　　　　　　AND

図形等分類　　　　　　〜　🔲　　11.1.6

❎ 削除 ➕ 追加

除外キーワード　　検索から除外するキーワードを指定します。　　　　　　　開く ＋

検索オプション　　　　　　　　　　　　　　　　　　　　　　　　　開く ＋

オプション指定：なし

🔍 検索　　クリア

⑥ 検索結果が表示されます。お箸のイラストが使われていて、かつ、「ハシ」と読める商標がヒットします。
　 似ている雰囲気の 「登録88888888」 をクリックして確認してみましょう！

⑦ 「登録88888888」 の商標出願・登録情報画面が表示されます。

> **Check！**
>
> 全体の雰囲気があまりにも似ていて、しかも箸置きに使用される商標だと
> 分かったので、このロゴのデザインは諦め、新しいロゴマークを創りました。

< 新しく作り直したロゴマーク >

うさぎが外枠に乗っていてかわいい

外枠は爪楊枝とお箸です

「つまいるうさぎのお箸置き」という商品名自体は、似ている商標がなかったので安心ですが、念のため、「パッと見」で雰囲気が似ているものがないか調査しましょう！

◆ もう一度ロゴマークについて検索（図形等分類検索）

ロゴのデザインによって、商標の検索の仕方も変える必要があります。
最初に考えたロゴでは、**「称呼検索」**と**「図形等分類」**を使って検索しましたが、新しいロゴのデザインには**「うさぎ」**のイラストが入っているので、**「図形等分類」**のみを使って検索します！

① ［ 商標 ］タブ → ［ 図形等分類表 ］をクリックする。

② 「🔍 図形等分類表 」が表示されたら、[**キーワード検索**] を選択し、キーワード欄に
「うさぎ　ウサギ」と入力して、[🔍検索] **ボタン** をクリックします。

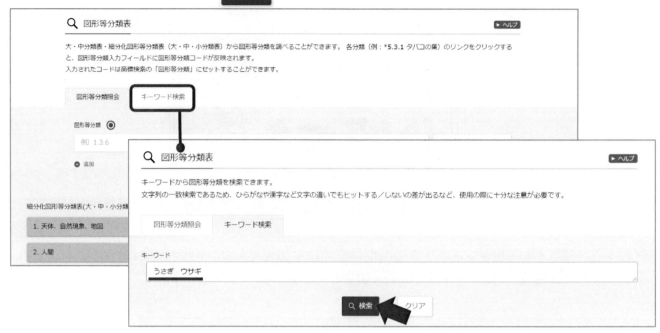

③ 分類が表示されるので、上から2つ目の「 **＊3.5.1 ウサギ、野ウサギ** 」を選択します。

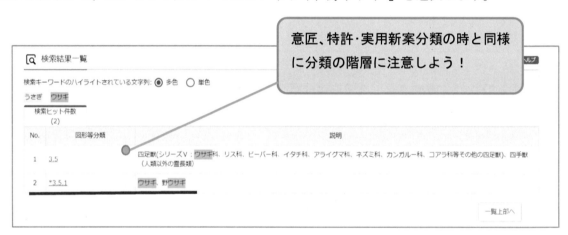

④ 黄色く塗りつぶされた分類をクリックすると、商標検索にセットされます。
セットされたら [📝 **商標検索にセット**] **ボタン** をクリックしましょう。

⑤ 「 🔍 商標検索 」の画面が表示されたら、［ 🔍 検索 ］ボタン をクリックします。

⑥ 検索ヒット件数を見てみるととても件数が多く、似ている商標を探すのが大変です。

検索条件に分類をもう一つ追加して件数を絞りましょう。

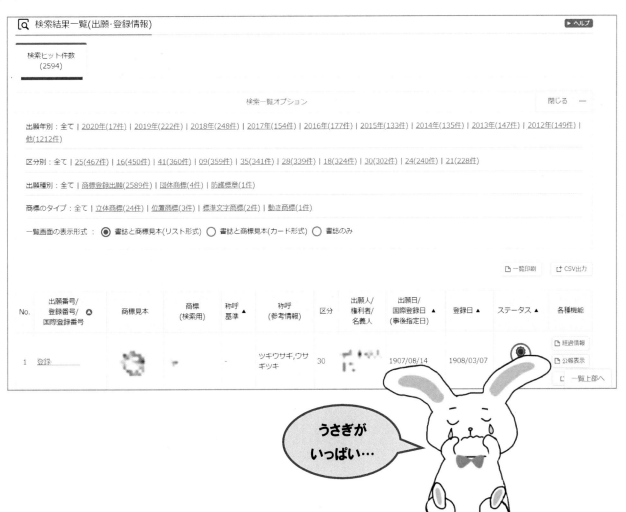

⑦ 新しいロゴが掲示板風のデザインなので、「 7.1.18 広告掲示板又は広告塔その他の広告建造物 」の
分類を入力してもう一度検索します。

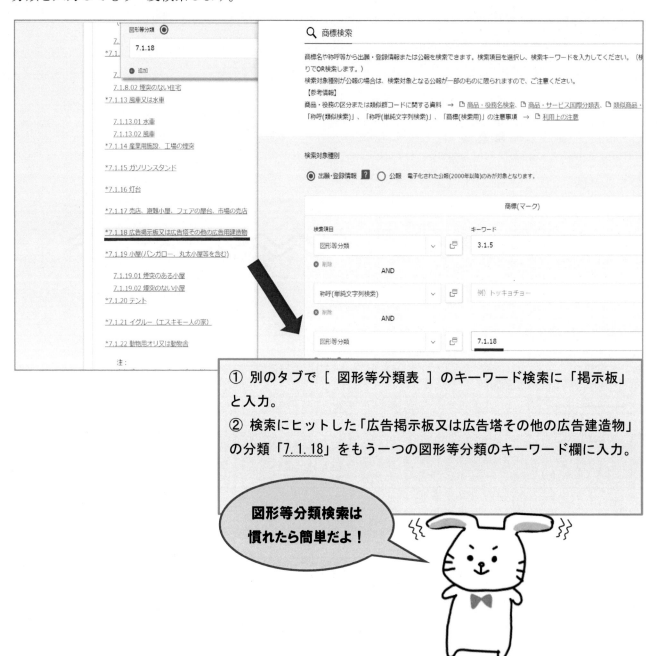

① 別のタブで［ 図形等分類表 ］のキーワード検索に「掲示板」
と入力。
② 検索にヒットした「広告掲示板又は広告塔その他の広告建造物」
の分類「7.1.18」をもう一つの図形等分類のキーワード欄に入力。

図形等分類検索は
慣れたら簡単だよ！

⑧ 検索結果一覧画面が表示され、ヒットした商標を見ていると、自分のロゴに雰囲気が似ている
「**商願2010-1931031**」を見つけました。クリックして、詳細を確認してみましょう。

検索結果一覧(出願・登録情報)　　　　　　　　　　　　　　　▶ヘルプ

検索ヒット件数
(4)

検索一覧オプション　　　　　　　　　　　　　　　　　　　閉じる　—

出願年別：全て | 2019年(1件) | 2011年(1件) | 2006年(1件) | 2000年(1件)

区分別：全て | 28(2件) | 24(1件) | 25(1件)

出願種別：全て | 商標登録出願(4件)

商標のタイプ：全て

一覧画面の表示形式：　◉ 書誌と商標見本(リスト形式)　○ 書誌と商標見本(カード形式)　○ 書誌のみ

　　　　　　　　　　　　　　　　　　　　　　　　　🖨一覧印刷　↗CSV出力

No.	出願番号/登録番号/国際登録番号	商標見本	商標(検索用)	称呼基準▲	称呼(参考情報)	区分	出願人/権利者/名義人	出願日/国際登録日(事後指定日)▲	登録日▲	ステータス▲	各種機能
1	登録(商願　　　)			-		28		2000/09/27	2001/06/29	🏅 存続・登録・継続	📄経過情報 📄公報表示 ↗URL

〜〜〜〜〜〜〜〜〜〜〜〜〜〜〜〜〜〜〜〜〜〜〜

| 4 | 商願2010-1931031 | | | | | | | | | | |

(210)出願番号　　　：商願**2010-1931031**
(220)出願日　　　　：平成31(2019)年4月11日
先願権発生日　　　：平成31(2019)年4月11日
(441)公開日　　　　：令和1(2019)年5月7日

商標(検索用)　　　：

(561)称呼（参考情報）：

(531)図形等分類　　：1.15.25；3.5.1；3.6.1；3.6.2；
5.13.25；7.1.18；27.5.1.20；
27.5.1.40；27.5.2；27.5.23.94；
29.1.1.4；29.1.3.1；29.1.7.2；
29.1.4.2；29.1.5.1；29.1.5.2；
29.1.7.2；29.1.8.2；29.1.11；
29.1.15

(591)色彩有り

平成23年法
国際分類版表示　　：第11版
(500)区分数　　　　：1
(511)(512)【商品及び役務の区分並びに指定商品又は指定役務】【類似群コード】
28　おもちゃ, 人形, 家庭用テレビゲームおもちゃ, 遊園地用機械器具, ペット用おもちゃ, 囲碁用具, 歌がるた, 将棋用具, さいころ, すごろく, ダイスカ　　　ンドゲーム, チェス用具, チェッカー用具, 手品用　　　トランプ, 花札, マージャン用具, 遊戯用器具, ビリ　　　用具, 昆虫採集用具

(540)　　　　　　　　　　　　　　　　　　　　閉じる —

1

拡大および回転

大丈夫かな…

つまいるうさぎの
お箸置き

⑨ 全体の雰囲気が少しだけ似ていて不安になりましたが、商標出願・登録情報の画面下部にある
【商品及び役務の区分並びに指定商品又は指定役務】の部分をよく確認したところ「28　おもちゃ、人形、
家庭用テレビゲームおもちゃ…」と書いてあり、箸置きに使用する商標ではないことが分かりました。

法区分	：平成２３年法
国際分類版表示	：第１１版
(500)区分数	：1

(511)(512) 【商品及び役務の区分並びに指定商品又は指定役務】　【類似群コード】

28　おもちゃ, 人形, 家庭用テレビゲームおもちゃ, 遊園地用機械器具, ペット用おもちゃ, 囲碁用具, 歌がるた, 将棋用具, さいころ, すごろく, ダイスカップ, ダイヤモンドゲーム, チェス用具, チェッカー用

◎区分
そのマークを使う「商品・役務」のジャンルを大きく分類したもの。
「このマークは区分 28 のおもちゃ等の商品に使うよ」という意味。

大変だけど、すべて
重要な調査だね！

Point！

商品名や商品のロゴを考えた際には 意匠検索、特許・実用新案検索と同様に
商標検索も必ず行うようにしましょう。

商標検索の結果…

「つまいるうさぎのお箸置き」と同じような商品名、新しく作ったロゴマークは商標登録
されていませんでした。
この「商品名」と「ロゴマーク」で箸置きを販売しても侵害にはならなさそうです。
商標登録できる可能性もあります！

でも、権利化されていないけど、同じような商品がすでに販売されていたら……？

→ Next　インターネット画像検索【P-47】〜

– – Check! –

◆ 類似群コードを使ってみよう！

P.40 の⑦では、図形等分類をもう 1 つ追加して検索ヒット件数を絞りましたが、**「類似群コード」** を使用して検索ヒット件数を絞ることもできます。類似群コードを検索してみましょう！

Point！

商品や役務名には、**「類似群コード」** が割り振られています。
類似群コードとは、区分よりも細かく分類されたコードのことです。
似た商品・役務には同じ **「類似群コード」** が付与されているので、
箸置きと同じ類似群コードが付与されている商標に対象を絞ります。

色んなコードが
あるんだなあ

① [**商標**]タブ → [**商品・役務名検索**] をクリックします。

② 「🔍商品・役務名検索」の画面を開いたら、「商品・役務名」欄に「箸置き　はし置き　はしおき　ハシオキ　箸おき」と入力します。入力が完了したら、[🔍検索] **ボタン**をクリックしてください。

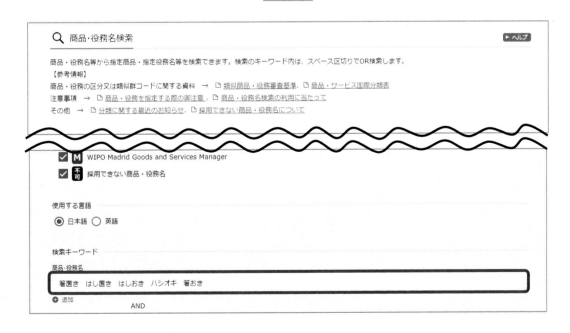

③ 検索結果一覧が表示されたら、ヒットしたものの中から、調べたい物品に最も近い類似群コードをクリックしましょう。

④ 「類似群コード」欄内に、自分がクリックしたコードが自動入力されているのを確認し、[📝 商標検索にセット] ボタン を押してください。

⑤ [📝 商標検索にセット] ボタン を押すと、検索項目「類似群コード」のキーワード内に自動でコードが入力されます。検索項目「図形等分類」のキーワード内にうさぎの図形等分類「3.5.1」を入力し、[🔍 検索] ボタンをクリックしましょう。

⑥ [🔍 検索] **ボタン** をクリックすると、検索結果一覧が表示されます。図形等分類 1 つだけで検索したときよりもかなり検索ヒット件数を減らすことができました！

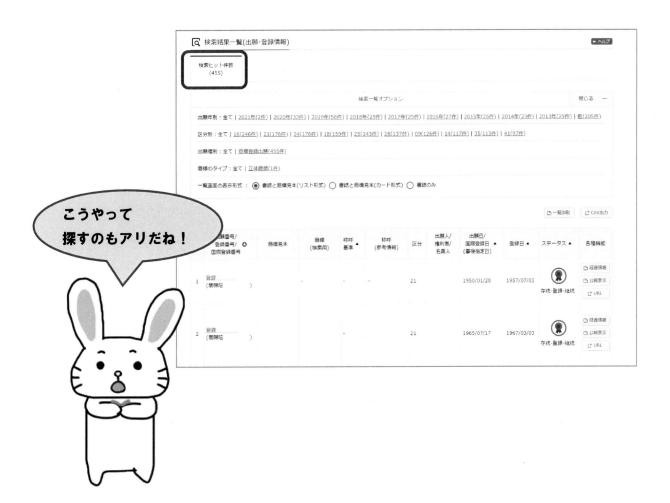

こうやって
探すのもアリだね！

---Column -------------------------------------

◆ 画像を使った商標検索

画像を使って商標検索したい時は**「Toreru」**（https://search.toreru.jp/）を利用するのもオススメです。

① Toreru 商標検索の画面が開いたら **[画像商標検索] タブ** をクリックします。

② **[画像商標検索] タブ** をクリックすると画像ファイルの選択画面が表示されます。
調査したい商標の画像を選んで、**[検索] ボタン** を押してください。

③ 数秒待つと、検索結果が表示されます。似ている商標を探してみましょう！

◎ インターネット画像検索

Step 5

J-PlatPat による調査では、創作した「うさぎ型箸置き」を販売しても、
他者の権利を侵害する可能性は低そうだという結果になりました。
しかし、権利を取得せずに販売されている商品は J-PlatPat では探せません。
既に類似の商品が売られていればトラブルになる可能性もあります。
また、「うさぎ型箸置き」で意匠権等を取りたい場合は、新規性が求められます。
もう少し幅広く製品の調査をする必要があるため、
インターネット画像検索 を行って、似ている物品を探してみましょう！

まだ安心
できない…！

① 検索エンジンを開きます。（例として Yahoo！JAPAN（https://www.yahoo.co.jp/）を使用します。）

② 検索バーの上部にある ［ **画像** ］ をクリックし、バーの中に検索したい単語やキーワードを入力します。

③ ［ 🔍 **検索** ］ **ボタン** をクリックすると検索結果にヒットした画像の一覧が表示されるので、
　自分の作品と見た目が似ている商品がないかよく確認しましょう。

④ 動物の形をしていて、爪楊枝を立てることのできる箸置きを見つけました。

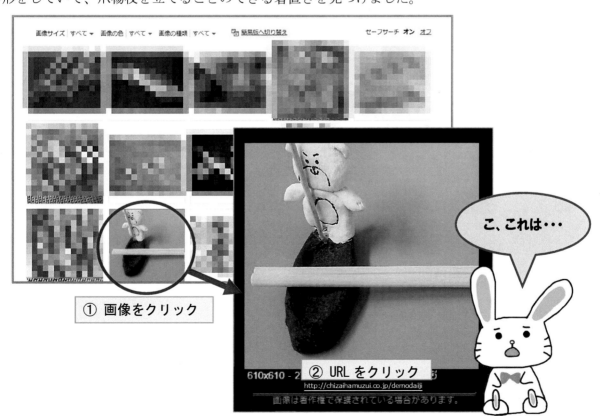

① 画像をクリック

② URL をクリック

こ、これは・・・

⑤ 商品ページの URL を押すことで、詳細な情報を確認することができます。

⑥ 詳しく見てみると、「動物の形をしている」「爪楊枝を立てられる」という点は同じですが、「犬の形を
している」「爪楊枝は立てられるけど蓋がない」「お箸を置く部分が動物の体の一部分ではない」「動物の
ひげが書かれていない」という点が自分の作品とは違っていました。

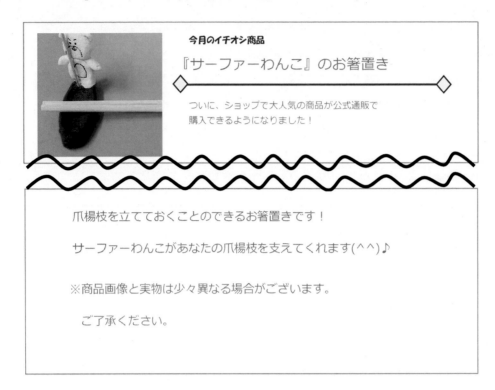

⑧ このように画像を検索して、似ている商品があった場合は商品ページを開き、詳細な情報を確認して、
自分の作品とどういう部分が似ているのか、また、逆にどこが違うのかを考えてみましょう！

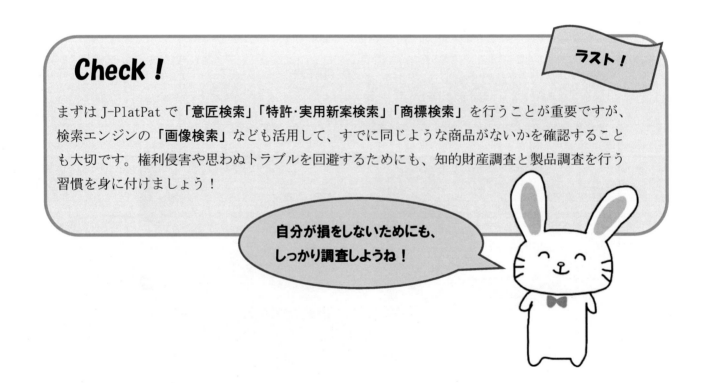

Check !

ラスト！

まずは J-PlatPat で「意匠検索」「特許・実用新案検索」「商標検索」を行うことが重要ですが、
検索エンジンの「画像検索」なども活用して、すでに同じような商品がないかを確認すること
も大切です。権利侵害や思わぬトラブルを回避するためにも、知的財産調査と製品調査を行う
習慣を身に付けましょう！

自分が損をしないためにも、
しっかり調査しようね！

◎ 検索のコツ

J-PlatPat で、知的財産調査をする時に知っていると便利な検索のコツを紹介します。

◆ ワイルドカード

検索したい文字列の中に任意の文字を含む文字列を検索するための方法のこと。
任意の文字はクエスチョンマーク（?）として検索します。
特許・実用新案検索の場合、クエスチョンマーク（?）を使用する文字列には、
シングルクォーテーション（'）で囲んでください。（どちらも半角で入力すること）

① 「スマートフォン」と「ケース」の間に任意の1文字が含まれた文字列の入力例（特実の場合）

検索項目		キーワード	近傍検索
全文 ∨	⊟	'スマートフォン?ケース'	⊟

② 「スマートフォン」と「ケース」の間に任意の3文字が含まれた文字列の入力例（特実の場合）

検索項目		キーワード	近傍検索
全文 ∨	⊟	'スマートフォン???ケース'	⊟

【応用】

・近傍検索（特実の場合）…検索したい複数の文字列の間隔を指定して検索する方法のこと。

検索項目		キーワード	近傍検索
全文 ∨	⊟	スマートフォン,3C,ケース	⊟

※スマートフォンとケースの間に3文字以内の文字列が
記載されている文献を探すことができます。

操作に慣れてきたら
やってみよう！

謝辞

本書制作の推進にあたっては、一般財団法人工業所有権協力センター
「大学高専知財活動助成事業」の活動助成を受けました。
ご支援に深く感謝の意を表したいと思います。

■著者Profile

野田 佳邦（のだ・よしくに）

大分県立芸術文化短期大学 情報コミュニケーション学科 准教授
知的財産支援室 次長（弁理士）
公益財団法人ハイパーネットワーク社会研究所 共同研究員

大分県生まれ。
大阪大学大学院情報科学研究科を修了後、特許庁でIT分野の特許審査業務に従事。
在職中、弁理士試験やビジネス著作権検定（上級）に合格するとともに、経営学修士課程を修了。
故郷である大分県に貢献したいという強い思いがあり、2015年より現職。
主に、知的財産教育、情報モラル・情報リテラシー教育に関する研究活動を展開している。

じんぞう

大分県生まれ。ちざいさんの作者。
イラストは温かい目で見てほしい。

はじめての知的財産調査　〜創作したら調査しよう〜

2021年3月1日　初版発行
2021年9月1日　第2版発行

著　　者　野田 佳邦、じんぞう

発　行　所　株式会社 三恵社
〒462-0056　愛知県名古屋市北区中丸町2-24-1
TEL.052-915-5211　　FAX.052-915-5019